SON TANTAS COSAS · SO MANY THINGS

Colección Sin Límites · Sin Límites collection

© Maya Hanisch, 2016
© De esta edición: Editorial Amanuta, 2016
Santiago, Chile
www.amanuta.cl

© Maya Hanisch, 2016
© Of this edition: Editorial Amanuta, 2016
Santiago, Chile
www.amanuta.cl

Edición general: Ana María Pavez & Constanza Recart
Asesor: Lawrence Schimel
Diseño: Schildkröte
Supervisión de diseño: Philippe Petitpas
Ilustración de la dedicatoria: Domingo Simonetti (5 Años)

General edition: Ana María Pavez & Constanza Recart
Adviser: Lawrence Schimel
Design: Schildkröte
Design supervision: Philippe Petitpas
Illustrated dedication by: Domingo Simonetti (5 years old)

Primera edición: octubre 2016
N° registro: 267.235
ISBN: 978-956-364-004-5
Impreso en China

First edition: October 2016
Register number: 267.235
ISBN: 978-956-364-004-5
Printed in China

Editorial Amanuta
Todos los derechos reservados

Editorial Amanuta
All rights reserved

Para Clemente, Domingo, Magdalena y Simón.

For Clemente, Domingo, Magdalena and Simón.

Hanisch, Maya
Son tantas cosas / So Many Things
1° ed.- Santiago: Amanuta, 2016.
(48p.) il. col. 37 x 26 cm. (colección Sin Límites)
ISBN: 978-956-364-004-5
1. INGLÉS - ENSEÑANZA.
I. t. II. Pavez, Ana María, ed. III. Recart, Constanza, ed
2016   428.0071 + DDC23   RCAA2

SON TANTAS COSAS

SO MANY THINGS

MAYA HANISCH

editorial amanuta
COLECCIÓN SIN LÍMITES

ÍNDICE
Contents

EN EL JARDÍN

In the Garden

Si observas atento, descubrirás muchos insectos curiosos que habitan en un jardín.
If you look carefully, you'll discover many curious insects who live in a garden.

polilla
moth

tijereta
earwig

mariquita
ladybug

zancudo
mosquito

hormiga
ant

abeja
bee

grillo
cricket

flor
Flower

polen
pollen

mosca
Fly

spider   araña

cochinilla

woodlouse

libélula

dragonfly

avispa

wasp

chinche verde

green stink bug

césped
grass

escarabajo

beetle

ciempiés

centipede

caracol

mariposa

1758501

butterfly

snail

lombriz

worm

mantis religiosa

praying mantis

9

DEPORTES Y RECREACIÓN
Sports & Recreation

Te invito a conocer todo lo que necesitas para jugar, divertirte con tus amigos y mantenerte en forma.
Come and learn everything you need in order to play, have fun with your friends, and stay in shape.

pelota de baloncesto
basketball

paleta de ping pong
ping-pong paddle

medalla de plata
silver medal

copa
trophy cup

medalla de oro
gold medal

pelota de fútbol
soccer ball

medalla de bronce
bronze medal

guante de boxeo
boxing glove

pelota de tenis
tennis ball

raqueta de tenis
tennis racket

patines
rollerblades

gafas de natación
swimming goggles

pelota de fútbol americano
football

casco de fútbol americano
football helmet

palitroques
bowling pins

bola de bowling
bowling ball

pesas
weights

shuttlecock
pluma de bádminton

zapatillas de ballet
ballet slippers

pelota de béisbol
baseball

bate de béisbol
baseball bat

raqueta de bádminton
badminton racket

aletas
snorkeling fins

snorkel
snorkel

guante de béisbol
baseball glove

máscara
mask

ajedrez
chess

casco de hockey
hockey helmet

disco de hockey
hockey puck

argollas de gimnasia
rings

antiparras
ski goggles

jabalina
javelin

palo de hockey

pelota de rugby
rugby ball

guantes de ski
ski gloves

esquís
skis

ski poles

pelota de vóleibol
volleyball

palo de golf

bate de cricket

hockey stick

pelota de golf
golf ball

tee de golf
tee

golf club

bastones

cricket bat

casco de bicicleta
bicycle helmet

patines de hielo
ice skates

pelota de cricket
cricket ball

snowboard boots

taco de polo
polo mallet

surfboard

tabla de surf

botas de snowboard

snowboard

pelota
polo ball

javelin

11

¡A LA MESA!
Mealtime!

Platos de todas partes del mundo, comida casera y dulces postres... te invito a descubrir todo esto y más en este apetitoso banquete.
Dishes from all parts of the world, homemade food and sweet desserts... discover all this and more in this delicious banquet.

bistec con arroz
steak & rice

cóctel de camarones
shrimp cocktail

sopa
soup

baguette
baguette

sal
salt

pizza
pizza

pollo con papas fritas
chicken & french fries

lentejas
lentils

ceviche
ceviche

sushi
sushi

paella
paella

pescado
Fish

perro caliente
hot dog

medialuna
croissant

dumplings
dim sum

balsamic vinegar
aceto balsámico

jugo de naranja
orange juice

pimienta
Pepper

empanadas
empanadas

ensalada
salad

puré con huevo
mashed potatoes & fried egg

kebab
shawarma
shawarma
kebab

hamburguesa
hamburger

burrito
burrito

aceite de oliva
olive oil

sopa de fideos
noodle soup

refresco
soft drink

nachos y guacamole
nachos & guacamole

mantequilla
butter

pan
bread

cereal
cereal

pasta
pasta

quesos
cheeses

Camembert
Camembert

Roquefort
Roquefort

Edam
Edam

helado
ice cream

brocheta
skewer

Feta
Feta

Parmesano
Parmesan

chocolate
chocolate

taco
taco

bagel
bagel

queque
muffin

dulces
candies

gelatina
jell-o

rosquilla
doughnut

palomitas de maíz
popcorn

mermelada
jam

kuchen
pie

café
coffee

yogur
yogur

miel
honey

tarta de queso
cheesecake

torta
cake

panqueques
pancakes

galletas
cookies

strudel
strudel

CLIMA Y GEOGRAFÍA
Weather & Geography

El planeta Tierra tiene muchísimas maravillas por descubrir: selvas, montañas, glaciares, desiertos y más.
Planet Earth has so many marvels to discover: forests, mountains, glaciers, deserts, and more.

copos de nieve

snowflakes

selva
rainforest

cascada
waterfall

río
river

puente
bridge

arcoíris
rainbow

cúmulo
cumulus

terma

colina
hill

túnel
tunnel

hot spring

piedra
stone

laguna

pond

caverna
cave

volcán
volcano

isla
island

oasis
oasis

EN EL CAMPO
In the Countryside

Cosechar manzanas, alimentar a los cerdos, buscar huevos, almacenar semillas, hacer miel... en el campo hay mucho trabajo por hacer.
Harvesting apples, feeding the pigs, hunting for eggs, storing seeds, making honey... there's a lot of work to be done in the countryside.

bote de leche
milk can

carretilla
wheelbarrow

carreta
cart

silo
silo

rake
rastrillo

gallo
rooster

colmena
beehive

vaca
cow

oveja
sheep

cabra
goat

granero
barn

pato
duck

patitos
ducklings

paja
straw

manzano
2001
apple tree

reja
fence

gansos
geese

molino de viento
windmill

cerdo   pig

caballo   horse

gato
cat

horqueta
fork

pala
shovel

perro
dog

regadera

gallina
hen

watering can

pollitos
chicks

trigo

tractor

wheat

barril

tractor

canasto

barrel

basket

17

VISTIÉNDOSE
Getting Dressed

Ropa para toda ocasión: para jugar y pasear, para el frío y el calor, para la playa y la montaña.
Clothes for every occasion: to play and hike in, for warm and cold weather, for the beach and the mountains.

gorro de lana / wool cap

mitones / mittens

calzoncillos / underwear

calzones / underwear

sudadera / tank top

chaleco / sweater

orejeras / ear muffs

impermeable / raincoat

parka / parka

sostén / bra

botas de agua / rain boots

maletín / briefcase

chaqueta / jacket

pañuelo de seda / silk scarf

bermuda / cargo shorts

vestido / dress

abrigo / coat

camisa / shirt

pantalones / pants

zapatos / shoes

gorra / cap

corbata / tie

chaqueta sin mangas / vest

18

zapatillas / sneakers

camiseta / tank top

bikini / bikini

pulseras / bracelets

collar / necklace

jeans / jeans

bufanda / scarf

botas / boots

pendientes / earrings

blusa / blouse

reloj / watch

anteojos / glasses

sombrero / hat

camiseta / t-shirt

falda / skirt

cinturón / belt

polerón / sweater

cartera / purse

zapatos con taco / high heeled shoes

pijama / pajamas

sombrero / sun hat

guantes / gloves

traje de baño / swimsuit

camisa de dormir / nightgown

bata / bathrobe

medias / tights

shorts / shorts

calcetines / socks

pantuflas / slippers

hawaianas / flip-flops

traje de baño / swimsuit

slippers

socks

nightgown

19

EN MOVIMIENTO
On the Move

De un lado para otro, de arriba para abajo, todos nos movemos para llegar a nuestro destino. ¿Estás listo para partir?

From here to there, up and down, we all move to get our destinations. Are you ready to leave?

bicicleta / bicycle

motocicleta / motorcycle

avioneta / lightcraft

avión / airplane

tren / train

taxi / taxi

furgón / van

cono de tránsito / traffic cone

camión / truck

jeep / jeep

ambulancia / ambulance

gas pump

bomba de gasolina

auto / car

silla de ruedas / wheelchair

parking meter / parquímetro

carro de policía / police car

traffic light / semáforo

bus escolar / school bus

20

globo aerostático
hot air balloon

spaceship
nave espacial

teleférico
cable car

helicóptero
helicopter

STOP
stop sign
disco pare

scooter
scooter

vespa
vespa

trolebús
trolley

patineta
skateboard

bus turístico

grúa
tow truck

tour bus

retroexcavadora
backhoe

ceda el paso
yield sign

limosina
limousine

carro de bomberos

motocarro

fire truck

three wheel scooter

21

EN EL SUPERMERCADO

In the Supermarket

En el supermercado puedes encontrar una gran variedad de alimentos y productos de muchas formas y colores. In the supermarket you can find a great variety of foods and products of many shapes and colors.

papel absorbente
paper towel

detergente

Film plástico
cling wrap

pan pita
pita bread

pasta de dientes
toothpaste

detergent

refresco
soda

comida de bebés
baby food

té
tea

jugo de manzana
apple juice

agua embotellada
bottled water

H^2O

helado
ice cream

leche
milk

galletas
cookies

papas fritas
potato chips

azúcar
sugar

SUGAR

maní
peanuts

mermelada
jam

carne molida
ground beef

harina
flour

aceitunas rellenas
stuffed olives

tallarines
noodles

PASTA

legumbres en conserva
canned beans

BEANS

mantequilla
butter

huevos
eggs

sopa en lata
canned soup

atún
tuna

comida congelada
frozen food

duraznos en conserva
canned peaches

fósforos
matches

aceite
cooking oil

kétchup
ketchup

mayonesa
mayonnaise

bebida en lata
soda can

mostaza
mustard

aceite de oliva
olive oil

MAYO

salame
salami

mortadela
mortadella

jamón
ham

pechuga de pavo
turkey breast

queso
cheese

EL MERCADO
Farmers' Market

Todo es delicioso y saludable en el mercado. Ven a conocer y a probar lo más rico que nos da la naturaleza.
Everything in the market is delicious and healthy.
Come and taste the richest produce that nature gives us.

maníes
peanuts

avellanas
hazelnuts

mandarinas
mandarins

pistachos
pistachios

castañas de cajú
cashews

castañas
chestnuts

sandía
watermelon

nueces
walnuts

cocos
coconuts

plátano
banana

higos
Figs

naranjas
oranges

kiwi
kiwi

cerezas
cherries

duraznos
peaches

papaya
papaya

ciruela
plum

damascos
apricots

blackberries
moras

pera
pear

arándanos
blueberries

limón
lemon

Frutilla
strawberry

frambuesas
raspberries

melones
cantaloupes

piña
pineapple

uvas
grapes

manzana
apple

24

apio
celery

radish
rábano

coliflor
cauliflower

aceitunas
olives

paltas
avocados

col
cabbage

albahaca
basil

cilantro
coriander

pepino
cucumber

tomate
tomato

brócoli
broccoli

champiñones
mushrooms

espárago
asparagus

maíz
corn

espinacas
spinach

pimiento
Pepper

zapallo italiano
zucchini

remolacha
beet

ají
chili pepper

alcachofa
artichoke

arvejas
peas

berenjena
eggplant

cebolla
onion

ajo
garlic

papa
potato

lechuga
lettuce

puerro
leek

calabaza
pumpkin

zanahoria
carrot

EN LA PLAYA
At the Beach

Arena, sol y mar azul, nada es más entretenido que un día de playa en verano.
Sand, sun, and blue sea-nothing is more fun than a summer's day spent at the beach.

palmera

sol

sun

sun umbrella

quitasol

palm tree

vestidores

changing rooms

castillo de arena

sand castle

seashells

conchas marinas

arena

sand

bloqueador solar

sunscreen

reposera

deck chair

balde y pala

pail & shovel

toalla

towel

langosta

lobster

bolso de playa

beach bag

tortuga marina

sea turtle

arrecife de coral

peces del arrecife

coral reef fish

burbujas

bubbles

cangrejo

coral reef

crab

Faro
lighthouse

remos
oars

bote
rowboat

gaviota
seagull

nube
cloud

bote pesquero
fishing boat

pelícano
pelican

ancla
anchor

tiburón
shark

anguila
eel

kayak
kayak

medusa
jellyfish

estrella de mar
starfish

velero
sailboat

lancha
yacht

caballito de mar
sea horse

delfín
dolphin

ola
wave

sailboat

27

EN LA ESCUELA

At School

Lápices, reglas, cuadernos, tijeras.
Todo lo que necesitas para aprender.
Pencils, rulers, notebooks, scissors.
Everything you need to learn.

agenda
agenda

bolígrafo
pen

pencil

lápiz

calculadora
calculator

mochila
knapsack

compás
compass

pincel
brush

lonchera
lunch box

marcador
marker

escuadra
set square

cuaderno
notebook

cola fría
200
glue

regla
ruler

tijeras
scissors

transportador
protactor

borrador
eraser

estuche

libros
books

acuarelas
watercolors

pegamento en barra
glue stick

sacapuntas
pencil sharpener

lápices de colores
colored pencils

pencil case

La clase de ciencias
Science class

Luna
Moon

estrellas
stars

planeta Tierra
planet Earth

tubos de ensayo

cometa
comet

planetas
planets

globo terráqueo
globe

test tubes

microscopio
microscope

28

telón de proyección — projector screen

diario mural

pizarrón
chalkboard

abecedario
alphabet

a b c d e f g h i j k l m
n ñ o p q r s t u v w x y z

números
numbers

0 1 2 3 4 5 6 7 8 9

tiza
chalk

borrador
eraser

bulletin board

La clase de música
Music class

pandereta
tambourine

Flauta
Flute

triángulo
triangle

pupitre
desk

partitura
sheet music

maracas
rattles

guitarra

tambor
drum

trompeta
trumpet

guitar

piano

xilófono
xylophone

piano

EN LA CIUDAD
In the City

Vamos de paseo por la ciudad para descubrir todos sus edificios, casas, puentes, escuelas y mucho más. Let's go for a walk through the city to discover its buildings, homes, bridges, schools and much more.

farol · street lamp

fuente · fountain

iglesia · church

supermercado · supermarket

cruce peatonal · crosswalk

calle · street

beauty salon · salón de belleza

hospital

museo · museum

MUSEO

carro de comida · street food cart

EMERGENCY

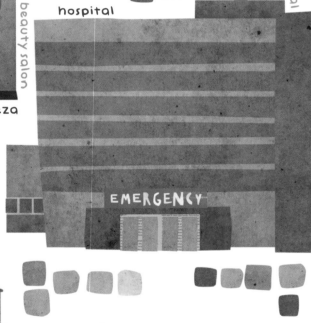

cine · movie theater

CINEMA

kiosco · kiosk

mezquita · mosque

panadería · bakery

BOULANGERIE PATISSERIE

casa · house

restorán · restaurant

RESTAURANT

escuela · school

sinagoga

synagogue

templo budista

buddhist temple

estación de policía

police station

estación de bomberos

Fire station

tienda

store

farmacia

PHARMACY

pharmacy

casa moderna

modern home

gasolinera

gas station

grifo

fire hydrant

rascacielos

lavado de autos

car wash

jardín

garden

statue

estatua

hotel

Florería

Flower shop

coffee shop

cafetería

CAFE

banco

bank

skyscraper

hotel

31

COSAS DE CASA
Household Items

¿Te habías dado cuenta que en una casa puedes encontrar muchos objetos con nombres y usos curiosos? Te invito a conocerlos. Have you realized that you can find many items with curious names and uses in a house? Let's go discover them.

mitón
oven mitt

jueguera
blender

colander
colador

pestle & mortar
mortero

plumero
duster

colgador
clothes hanger

secador de pelo
hair dryer

reloj despertador
alarm clock

espejo
mirror

enchufe
outlet

cable
cord

peineta
comb

tetera

aspiradora
vacuum cleaner

paleta

rolling pin
uslero

spatula

kettle

tabla para cortar
cutting board

velador

pinzas
para ropa

clothespins

boles
bowls

lámpara de escritorio
desk lamp

servilleta
napkin

ventilador
Fan

cámara
Fotográfica
camera

bedside table

papel higiénico
toilet paper

tazón
mug

lámpara
lamp

copa
glass

ampolleta
lightbulb

escoba
broom

baby bottle
biberón

limpiavidrios
glass cleaner

exprimidor
citrus juicer

washing machine
lavadora

abridor
bottle opener

cuchillo carnicero
butcher knife

batidora
mixer

sacacorchos
corkscrew

hervidor
electric kettle

esponja
sponge

cuchara de palo
wooden spoon

dishwashing liquid
lavaloza

jabón
soap

cacerola
saucepan

plancha
iron

silla
chair

basurero
trash can

plato
plate

cuchillo
knife

cuchara
spoon

tenedor
fork

olla — cooking pot

rallador — grater

pinzas — tongs

cuchara desnatadora — skimming spoon

cucharón — ladle

batidora manual — whisk

refrigerador — refrigerator

polvo — dust

pala — dustpan

televisión — TV

microondas — microwave

martillo — hammer

horno — oven

huincha — tape measure

cafetera — coffeemaker

tostador — toaster

alicate — pliers

saw

serrucho

destornillador — screwdriver

cuchillo cartonero — cutter

llaves inglesas — wrenches

clavos — nails

tuerca — nut

tornillo — screw

hacha — ax

computador portátil
laptop computer

rímel
mascara

llave
key

llave del auto
car key

control remoto
del portón
garage door
opener

base
foundation

esmalte de uñas
nail polish

sombra
de ojos
eyeshadow

lápiz labial
lipstick

billete
bill

monedas
coins

tarjeta
de crédito
credit card

En la cartera de mamá
Inside mom's purse

ratón
mouse

couch

sofá

papel
paper

alfombra

rug

libro

book

impresora

printer

cojines
cushions

cubrecama
bedspread

cama

almohada
pillow

cuadro

painting

Foto antigua

old photograph

jarro

jar

bed

cleaning gloves

guantes de limpieza

mesa

table

trapero

paños

cleaning cloths

mop

chest of drawers

cómoda

35

CELEBRANDO Y JUGANDO
Celebrating & Playing

Es hora de celebrar, jugando con los amigos o reunidos en familia. Las celebraciones nos llenan el año de alegrías.
It's time to celebrate, playing with friends or getting together as a family. Holidays fill our year with happiness.

Papá Noel

botas de Navidad
Christmas stockings

Hanukkah menorah

candelabro de Hanukkah

playing cards

naipes

Santa Claus

corneta
birthday trumpet

Fantasma

murciélago

bat

globos
balloons

dados
dice

ghost

Christmas tree

árbol de Navidad

calabaza

pumpkin

velas
candles

torta

cake

Easter bunny

conejo de Pascua

regalos

Easter eggs

challas
confetti

huevos de Pascua

presents

fuegos artificiales
Fireworks

cubos
blocks

muñeca

paper lantern
lámpara
doll

teddy bear
oso de peluche

dragón chino
Chinese dragon

pozo de arena
sandbox

tableta
tablet

smartphone
smartphone

muñeca
doll

barras
bars

consola de videojuegos
video game console

balancín
rocking horse

canicas
marbles

giratorio
merry-go-round

columpio
swing

cama saltarina

bouncing ball
pelota saltarina

resbalín

cuerda de saltar   jump rope   slide

cama saltarina
trampoline

sube y baja   seesaw

ANIMALES
Animals

La selva, el desierto, las montañas, los bosques, la sabana, son el hogar de cientos de animales que te invito a conocer. The jungle, the desert, the mountains, the forests and the savannah are home to hundreds of animals I'm inviting you to meet.

oso hormiguero

anteater

lémur

lemur

mono

monkey

oso panda

panda

mapache

raccoon

jirafa

giraffe

snake

culebra

foca

seal

conejo

rabbit

gorila

gorilla

rana

frog

salamandra

salamander

38

cocodrilo

crocodile

impala

impala

ardilla

chipmunk

murciélago

bat

cebra

guepardo

cheetah

zorro

fox

zebra

tortuga

turtle

puercoespín

porcupine

elefante

león

elephant

lion

hipopótamo

oso

bear

hippopotamus

39

koala
koala

orangután
orangutan

dromedario
dromedary

iguana
iguana

hiena
hyena

tapir
tapir

alce
moose

jabalí
wild boar

armadillo
armadillo

castor
beaver

polar bear
oso polar

venado
stag

cachalote

dorado

mahi mahi

sperm whale

En el mar
At the sea

whale shark

tiburón ballena

lenguado

sole

manta ray

manta raya

orca

camarón

shrimp

killer whale

calamar colosal

pez volador

Flying Fish

swordfish

pez espada

pulpo

atún

octopus

tuna fish

ballena azul

blue whale

giant squid

diablo negro del mar

anglerfish

41

FLORES
Flowers

Qué bonitas son las flores. Con sus colores y aromas nos
alegran el día. Te invito a dar un paseo por este colorido jardín.
How pretty flowers are. With their colors and scents they brighten
up our day. Come to take a tour through this colorful garden.

asters

asters

roses

rosas

jacinto de los prados

bluebells

tulips

margaritas

daisies

tulipanes

dandelions

dientes de león

malva

Farolillo

canterbury bell

cardo

thistle

hollyhock

claveles

carnations

pensamientos

pansies

girasol

lirio atigrado

tiger lily

arquídea

orchid

amapola

poppy

acianos

sunflower

cornflowers

violetas

violets

petunia

petunia

campanillas

dedalera

foxglove

caléndulas

cinia

zinnia

morning glories

marigolds

43

AVES
Birds

Algunas aves viven en la profundidad de la selva, otras en los fríos más intensos, pero también hay muchas que habitan a tu alrededor.
Some birds live in the depths of the jungles, others in the coldest of colds, but there are many who live near you.

kiwi
kiwi

gorrión
sparrow

codorniz
quail

cisne

búho
owl

águila
eagle

chochín
wren

swan

chercán
house wren

mirlo
blackbird

Flamenco
Flamingo

canario
canary

pingüino magallánico
magellanic penguin

petirrojo
robin

cóndor andino
andean condor

tórtola
turtledove

paloma
pigeon

guacamayo
macaw

Frailecillo
puffin

golondrina
swallow

arrendajo
jay

cuervo
crow

espátula
spoonbill

cardenal
cardinal

chincol
rufous-collared sparrow

buitre
vulture

colibrí
hummingbird

halcón
hawk

cigueña
stork

tucán
toucan

pingüino emperador
emperor penguin

garza
egret

zarapito
sandpiper

bandurria
pájaro carpintero
buff necked ibis

woodpecker